슈퍼 뒤에서 담배 피우는 두 사람 4

초판 1쇄 발행 2024년 11월 20일

지은이_ Jinushi
옮긴이_ 김성래

발행인_ 최원영
본부장_ 장혜경
편집장_ 김승신
편집진행_ 권세라 · 최혁수 · 김경민 · 최정민
커버디자인_ 양우연
내지디자인_ 대진기획
국제업무_ 박진해 · 조은지 · 남궁명일
관리 · 영업_ 김민원 · 조은걸

펴낸곳_ (주)디앤씨미디어
등록_ 2002년 4월 25일 제20-260호
주소_ 서울시 구로구 디지털로 32길 30, 코오롱디지털타워빌란트 1301-1308호
전화_ 02-333-2513(대표)
팩시밀리_ 02-333-2514
이메일_ lnovellove@naver.com
ㄴ노벨 공식 카페_ http://cafe.naver.com/lnovel11

ISBN 979-11-278-7763-7 07830
ISBN 979-11-278-6940-3 (세트)

값 6,000원

HOLOX MEETING! © 2016 COVER Corp.
© Anmitsu Okada, script · Omcurry G.K./SHUEISHA Inc.

홀록스 미팅! 상, 하권

커버 주식회사 원작 | 합동회사 오므카레 각본 | 오카다 안미츠 만화 | 박경용 옮김

인기 VTuber 사무소,
『hololive』의 첫 공식 만화, 등장!!

어떤 꿈을 가진 소녀,
사카마타 클로에에게 날아온 기억에 없는 채용 통지서.
그녀가 서류에 적힌 주소로 찾아간 곳은,
어딘가 수상쩍은 회사였는데…?!
초인기 유닛 「비밀결사 holoX」 데뷔까지의 궤적이
마침내 만화화!!

SL
COMIC

갸루에게 상냥한 오타쿠 군 1권

소츄 만화 | 138네코 원작 | 김성래 옮김

오타쿠처럼 생긴 남고생 오타쿠라와,
발랄한 갸루 여고생 나루미.

두 사람은 학교에서도 별 교류가 없던 정반대의 타입이었지만,
어느 날 나루미는 오타쿠라가 그림을 그린다는 것을 알게 되고,
손재주가 서툰 자기 대신에 이상적인 네일을 만들어달라는
간절한 부탁을 하게 된다.
그 사건을 계기로 오타쿠라는
타고난 섬세한 손재주와 오타쿠 취미로 갈고닦은 기술을 통해
나루미의 여러 부탁을 잇따라 완벽하게 이루어 주는데?!

**갸루의 취미를 이해해 주는
오타쿠 군의 학원 청춘 러브 코미디, 제1권!**

친구 여동생이 나한테만 짜증나게 군다 1~5권

미카와 고스트 원작 | 히라오카 히라 작화 | 토마리 캐릭터 디자인

지극히 평범한 남자 고등학생, 오오보시 아키테루의 나날은
절친의 여동생인 코히나타 히나타의 짜증나는 치근덕의 연속!
이로하는 집 열쇠를 자기 가슴골에 숨기거나,
등 뒤에서 끌어안는 등……
온갖 방식으로 아키테루를 괴롭혀온다!

대인기 청춘 러브코미디의 코미컬라이즈!

이 멋진 세계에 축복을! 1~17권

와타리 마사히토 지음 | 이승원 옮김

게임을 좋아하는 은둔형 외톨이 소년, 사토 카즈마는
사고로 목숨을 잃고 자신의 생애에 막을 내리……
나 했더니 여신을 자처하는 미소녀의 제안에 이세계로 전생한다.
그렇게 카즈마가 마왕을 토벌하는 장대한 이야기의 막이 오르……
나 했더니 자신을 전생시킨 여신 아쿠아,
그리고 폭렬마법을 무지 좋아하는 로리 소녀 메구밍과 함께
의식주를 확보하기 위한 노동 생활이 시작되는데……?!

TV애니메이션 방영 화제작!
대인기 이세계 코미디가 만화로!!

SL COMIC

©Jinushi/SQUARE ENIX CO., LTD.

로쿠레이 -텐세이시 린네구 구청 제육감부 조령과 활동기- 1~4권

지누시 만화 | 김성래 옮김

정부에서는 해마다 점점 늘어나는 심령 트러블에 대응하기 위해
일부 지방 자치 단체에 심령 전문 대응 창구를 설립했다!

이름하여 제육감부 조령과, 통칭 "로쿠레이(六靈)".
이 부서의 목적은 유령과 사람 사이에 서서 문제를 해결하는 것—
유령을 없애는 「제령(除靈)」이 아닌 조력(助力)한다, 즉 「조령(助靈)」이다!

**좌충우돌 2인조가 저승과 이승을 이어주는
통쾌 미스터리 드라마가 마침내 개막!**

SL
COMIC

감정—— 힐링이다.

제 5 권을 기대해 주세요.

슈퍼 뒤에서 담배 피우는 두 사람 4갑을
구입해주셔서 진심으로 감사드립니다. 지누시입니다.
나쁜 일에는 끝이 반드시 옵니다만,
좋은 기억이나 마음 편안한 추억은 멋진 일이니까요
파헤치거나 닦아야 할 '필'요는 별로 없습니다.
따라서 누군가를 위한 거짓말이나 배려가 담긴 안내에는
좀처럼 끝이 오지를 않으니, 그런 관계엔 많이 동정하게 됩니다.
애당초 마음씨 착한 사람이 상대에게 거짓말을 해서 괴롭지 않을 리 없으니까요
이번 권도 무척 멋진 곡을 한껏 들으며 그렸습니다.
중요한 이야기일수록 좋아하는 곡에 의지하게 되네요

29대 째 やさしくなりたい (상냥해지고 싶어) / 加藤和義 (사이토 카즈요시)
32~33대 째 ばかじゃないのに (바보가 아닌데도) /
ずっと真夜中でいいのに。 (계속 한밤중이면 좋을 텐데。)
적극 추천하고 싶습니다.
그러면, 다섯 번째 갑에서 다시 만납시다.

──신세를-진-분들──

어시스턴트	아카나코 씨
	타키시마 아사카 씨
	요시다 바나 씨
담당 편집자	나가노 료 씨
디자인	나카무라 씨

또
보자고

아무것도
달라지진
않아.

충분해.

괜찮아.

나, 8년 전까진 여기서 살았거든.

돌아온 건 작년이니까 얼마 안 됐지만….

앗!

큰일 날 뻔.

타야마 씨, 재…

재가!

떨어지겠다! 옷에!

아저씨는 언제 폭발할지 모르는 폭탄을 항상 끌어안고 다니는 생물이라고.

그 녀석은 아저씨인걸?

걱정 되네요, 사사키 씨.

몸이 편찮으셔서 회식에 불참하시다니…

뭐어?

20 : 25
케이코

너나도 말고
현실은 때끼가 없어~ 하하ㅎ
하이라이스 먹고 싶은데다ㅠ ㅠ

20:15

20:15   뿌앵

파이팅~!
하이라이스 낙아서
낙담2에 넣어 놓아!
내일 먹어?

20:20

천재야…

20:21

33대 째   Behind the supermarket, smoking with you.

거기에 이런…

본사가 주최하는 지사 모임 성과 자랑 대회 같은 덴 말이야.

참석 안 해도 아~무런 문제가 없잖아—.

오늘 사사키 씨는 안 오시는 겁니까?

오늘 밤은

오오노 씨가
걱정되고

다들
볼일이 생겨서
살짝
섭섭했고

바보가
엉켜서
막 짜증
났었는데.

고마워,
타야마 씨….

톡

왜
히죽거리는데?

아아,
그렇지….

아니…
타야마 씨도
가지고 다니는구나
싶어서.

그야
당연하지.
비상용이니까.

설마 밤중에…

이렇게… 운동을 하게 될 줄이야…

그리고 보니, 사사키 씨는 어딘가 가는 중이었어?

아니면 산책?

아아…

제법 스릴 있었어~.

즐기고 있네… 대단해….

산책할 겸 담배 사러 나왔어.

다 피워버려서….

이상한 데서
짜증이
난다거나

좀 취했다고
그런 소릴
하고.

요즘 들어
뭔가

계속
위험한걸.

168

…오늘 엄청나게 피워 댔구나.

긁적 긁적…

Best

다 바닥나겠지….

막 피웠다간 얼마 안 가서

32대 째 | Behind the supermarket, smoking with you.

점장님~ 저는 전근이네요. 슬퍼요.

다음 점장이 취향이라며 기뻐하던 것 같더니?

아하하하하하

윽...

다음 주임은 젊은 녀석이라서, 인수인계 관련해서 지금 이야기 가능한가?

넵, 괜찮습다.

점장님... 본사에서 미리 소식 들으셨던 거구나.

나 혼자만 가슴 졸인 게 바보 같아….

오바타

고토

슈퍼 뒤에서 담배 피우는 두 사람 ④
구매해 주셔서 감사합니다.　지누시

슈퍼 뒤에서 담배 피우는 두 사람 4권
발매 기념 초판 한정 특전
[NOT FOR SALE]
©Jinushi/SQUARE ENIX CO., LTD.

마에자와 씨는 뜬금없이 무서울 때가 있단 말이지….

와항!

뭐!
어떻게든 되겠지이~!

그러고 보니 야마다는 어디에 간 걸까.

화장실?

강다 샐러드380
가디퓸
찹

저저, 저도 2인 고대제로 괜찮으시다면야 …:

저↗

나도 독촉해볼 거고 계산대 일도 거들 테니까 힘내봐, 자와.

모로모로역앞점 포에버야~!

텅

야마다가 취했다고?

맞아요, 맞아요.

오오, 오바타라니까요!

야마라면 좀 취했다고 머리 식히는 김에 한 대 피우고 오겠대요.

피어싱
이라….

그러고 보니,
얼마 전에….

앗.

괜찮은
거야?!

그냥
고정쇠가
헐거워져서
떨어진 거야.

뭐?!

피어싱
떨어졌어.

타야마 씨,
왜 그래?

저기,

조금 궁금해져서 말입니다만.

조금 전 저에게 어째서

언제나 정말 수고가 많다는 말씀을 해주셨나 해서….

어머

어머, 어머, 어머, 어머…

?!

아아~.

아….

카드와 영수증 드리겠습니다!

감사합니다.

빠안

손님─.

?

아름다운 이….

이노●에 요스이….

이….
이슬받이.

이….

저기요~.

푸 그 극

죄송합니다…!

네, 네에!!

손님?
말씀하신 담배는
이게
맞으실까요?

삑

삑

아뇨,
괜찮습니다~.

합계
1780엔
입니다~.

이런,
멍하게 있으면
어쩐담….

평소였다면
짧은 이야기
한두 편은
떠올렸을 텐데.

네.

어라.

이다음은 무엇을 하면 되는 걸까요….

마지막 화의 내용이 정해졌을 때.

섭섭함과 기쁨보다 먼저 생각했다.

끝내버렸다고 해서 영화 같은 결말을 맞진 않는다.

놀랐다.

하고 싶었던 일을 이렇게나 빨리 다 끝내버리다니.

완성되면 축하 파티를 하자!

니시조노 선생님 작품의 마지막 화에 함께할 수 있어서 행복해…!

우와아아!

달칵

그건 그렇고, 선물을 너무 많이 샀나….

앤 무슨 소리래!

이제 곧 경력 20년!

지금까지 한 번도 휴재 없이 연재를 계속하고, 상도 받고

최근 시작한 애니메이션도 드라마도 대호평!

축하할 일이 넘치도록 많은 선생님 이시잖아.

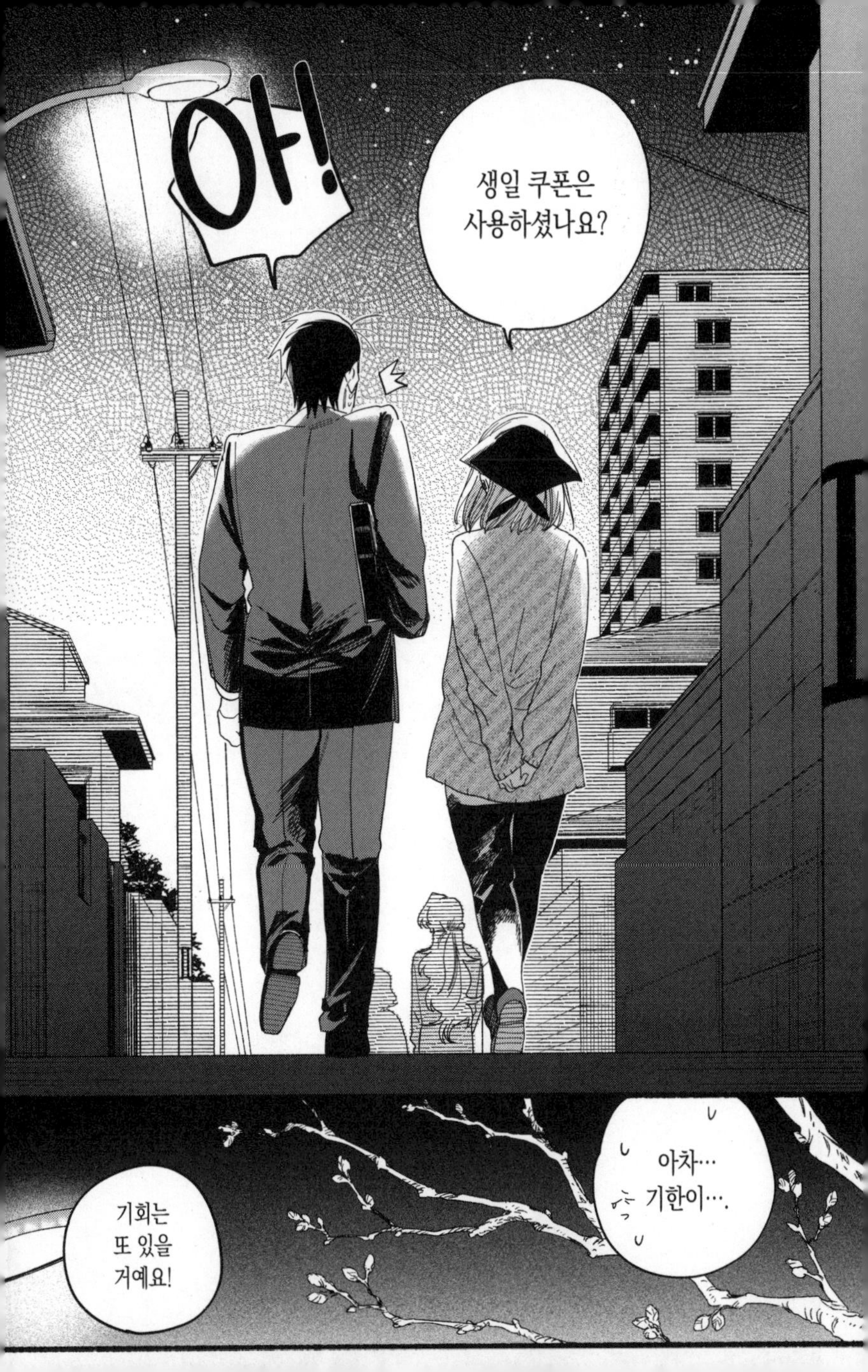
생일 쿠폰은 사용하셨나요?
아!
아차… 기한이….
기회는 또 있을 거예요!

「아, 지금 붐비니까 눈치껏 도와주시는구나」라든가.

정말 한 줌이지만, 「이분은 언제나 분위기가 좋네」라든가.

…의외로 기억해요, 저희도.

예…?

「이 사람이 오면—」

신경 쓰지 마세요! 별일 없어서 다행이에요.

감사합니다....

저희를 찾고 계시는 동안 느긋하게 라멘이나 먹고....

죄송합니다, 야마다 씨.

나 참, 이쪽이 할 말이거든요?

빠안

초면인 아주머니랑??

내 맘에 든 가게에서

게다가

라멘 먹고 있었다고?

혹시 이상한 사건에 휘말린 건 아닐지 걱정해줬더니

『언제나 정말 수고가 많으십니다』

…라고요.

오오노 씨는 옛날에… 제가 인생에서 가장 힘들었을 때,

가장 바랐던 말을 들려주셨답니다.

그분 입장에서는 이름도 모르는 수많은 손님 중 한 명일텐데….

이렇게까지 몇 년이나 감동했다는 것은 상상도 못 하시겠죠.

그뿐이었는데 무척 좋아졌지 뭐예요.

그저 말 한마디!

저도
실은

계산대에
보이면
저도 모르게
그 줄에
서게 되는,

수줍…

…그런 분이
있답니다.

저는
사사키 씨의
심정에 깊이
공감합니다.

부디
스스로에게
너무 안 좋은 말을
쓰지는
마시지요…

네?!

보드랍고 근사한
보브 헤어에
앞머리를 걷은
스타일을 한…

또렷〜

아

계산은
정확하고
빠르면서도

손님의 동작은
차분하게
기다려주시지요.

선명

푸근하고
귀여운 미소를
늘 유지하며

아릅〜

그건,

…다행이군요.

미안합니다, 기분이 상했나요?

아뇨!!

그리고 뻔질나게 슈퍼에 찾아올 만큼 동경하시는 계산대 담당 점원분이 계신다고….

이렇게 말로 들으니 저 같은 아저씨가 기분 나쁜 짓을 한 같아서….

어머나….

아뇨, 신경 쓰지 마시길.

다이고로와 놀아주신 작은 답례입니다…

저기, 죄송합니다. 초면인데 제 몫까지 사주시다니….

그쪽도 담배 피우시죠?

감사합니다….

실제로 뵙는 건 처음입니다.

만화가?! 굉장하네요.

아무쪼록 잘 부탁드리겠습니다….

직업은 만화가.

다시 소개드리죠. 저는 다이고로의 주인인 니시조노라고 합니다.

꾸벅…

사사키 씨에 대한 이야기는 전해 들었습니다.

사실 전… 해외에 있을 때 고토 씨와 연락을 취했던지라

예?

어라?!

다, 다이고로?!

주인이 여행 중이라 점장님이 돌보고 있고,

분명 저 녀석은 지금…

당분간 안 돌아온다고 했었지…

혹시 아니라면 큰일이지 않나?

주인이 돌아왔다면 괜찮겠지만,

나 같은 아저씨와도 잘 놀아주는 녀석이니까, 혹시…

홱

힐끔

24시간 슈퍼 에스

슈퍼 뒤에서
담배 피우는 두 사람
Behind the supermarket, smoking with you.

봉…?

이 아저씨는 봉입니다

본, 스타즈.

야마다, 너. 담배 바꿨냐?

사사키 씨랑 담배 교환했거든요.

바꾼 건 아니에요.

영업중 먼저 읽었으면 닫아라

그 부분만 프랑스어라더군.

네?

점장님. 이 상표명 무슨 뜻인지 알아요?

「본」이라는 영어 단어는 없던데요.

덜컹
덜컹...

덜커덩
덜컹

사사키 씨,
걱정을
끼쳐드려
죄송합니다.

이 일은
힘들기도
하고

심한 말 들어서
상처도
받지만요.

사사키 씨
밑에서
일한 덕에
좋은 면도, 보람도

찾을 수
있었다고
생각합니다.

…어라?

25일이면
……

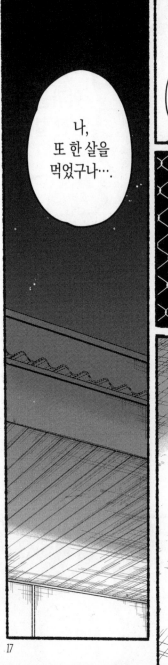

나,
또 한 살을
먹었구나….

어제였지.

아아…

타야마 씨.

할 말 있어?

있잖아, 사사키 씨.

지금 몇 살이야?

응?

?

응?

25일….

2월 언제?

난 마흔다섯 아저씨인데….

올해 2월로 마흔여섯이네.

그럼요
잘 알죠
오오노!!!

세상에….

그렇죠,
점장님?

사사키 씨도
그런 거야?

그 친구
일솜씨가
늘었을까?

내가
상사
말대로
더 엄하게
대했다면

그 친구…
당분간
쉰다고 하던데
괜찮으려나.

2월
26일

터벅
터벅

그치만 오늘이 자기 생일인지 정도는 아는 게 당연하…

삐! 지않게든!

덜릿 덜릿

럭

정말 저렇게 돼. 생각 안 하게 되어버린다?

야마다는 20대라서 아직 잘 모르겠지만….

나이 먹을수록 생일의 존재감은 점점 흐려진다고!

잘 들어라, 야마다! 자주 있는 일이니까!

불쑥

불쑥

50대

40대

말의 눈앞에 당근을 매달아줘도 심드렁할 때는 있는 법이지. 사사키 군도 그런 날이 있지 않겠어?

제 접객에 실패는 없거든요!

너, 굉장 하네

우리 가게 생일 쿠폰엔 쪼그맣게 「오늘 생일을 맞은 손님께」라고 쓰여 있잖아.

『특별 쿠폰』 문구만 눈에 띄는걸.

찌끔

혹시 생일 쿠폰이라고 깨닫지 못한 게 아닐까?

……네에?

12

10

2월
25일
심야

자네 교육 방식이
만만~하니까

부하는
반성을 안 해,
배우질 않아,
거하게
사고나 치고!

이런 꼴이니
자네는 주임을
못 벗어나는 거야!

자네는
헛짓을
하고 있어,
사사키!!

털
썩

덜커덩

덜커덩

목 차

Contents

Behind the supermarket, smoking with you.

담배 피우는 두 사람

슈퍼 뒤에서

Behind the supermarket, smoking with you.

Volume four

4

지누시
Jinushi